일러두기

바이올린 연주와 피아노 반주가 함께 녹음된 감상용 CD를 첨부하였습니다.
모범 연주를 들으면서 수록된 곡의 분위기를 잘 파악하여 연습해 보시기 바랍니다.

SUZUKI VIOLIN SCHOOL

스즈키 바이올린 교본

VOL. *3*

VIOLIN PART

◐ 세광음악출판사

차   례

제3권의 학습 요점

1. 가정에서 매일 학습용 CD를 듣게 하여 음악적 감각을 길러 준다. 그럼으로써 빨리 숙달 될 수 있을 것이다.
2. 소리 내기를 학원과 가정에서 매일 연습하여야 한다.
3. 정확한 음정이 몸에 배도록 연습한다.
4. 특히 제3권에서는 프레이즈의 표현에 목표를 두고 프레이즈를 피아니시모로 아름답게 켤 수 있도록 한다.

소리 내기

레슨 때마다 깨끗하고 향상된 좋은 소리를 낼 수 있도록 계속적인 연습을 해야 한다.
지도할 때는 ⊓와 ∨의 2가지 모두 지도한다.

포스터
(S. C. Foster)

현 옮기기 연습

레슨 때마다 연습한다.
다음 연습은 처음에 천천히 하고 익숙해짐에 따라 템포를 빨리 하여 연습한다. 템포가 빨라짐에 따라 활폭을 좁게 켠다.

가 보 트
Gavotte

마르티니
(P. Martini)

Allegro moderato

8

미뉴에트
Minuet

바 흐
(J. S. Bach)

가보트 사 단조

Gavotte in g minor

바 흐
(J. S. Bach)

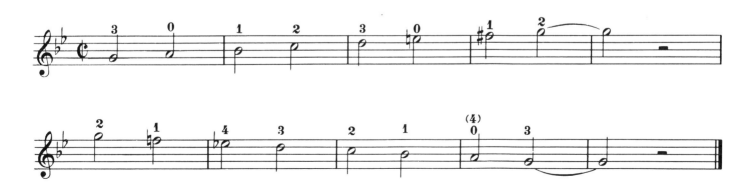

p의 경우에는 활폭을 좁게, f일 때는 활폭을 크게 켠다. 각 프레이즈의 끝에서는 활폭을 좁고 가볍게 해서 pp로 아름답게 나타낸다.

소리 내기

레슨 때마다 연습한다.
개방현의 울림처럼 현을 아름답게 울릴 수 있도록 연습한다.

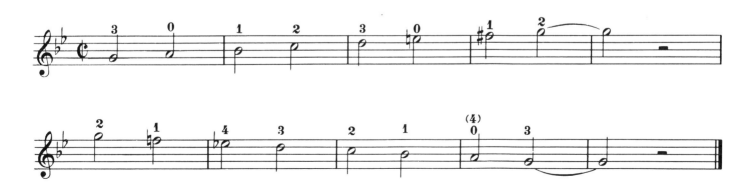

유모레스크
Humoresque

드보르자크
(A. Dvořák)

Poco lento e grazioso

준비 연습

활의 폭을 아주 좁게 하고 쉼표에서도 활을 현에 붙인다.

가 보 트
Gavotte

베 커
(J. Becker)

가보트 라 장조
Gavotte in D Major

Gavotte I

바 흐
(J. S. Bach)

Gavotte II

가보트 Ⅰ, Ⅱ를 계속 연주하여 Ⅰ로 돌아와 마친다. Ⅰ로 돌아오면 되풀이 하지 않는다.

18

부 레

Bourrée

바 흐
(J. S. Bach)

Allegro (♩ = 84)

트릴 연습

활을 짧게 사용하고 세차게 켠다.

화음 연습

현을 조율할 때와 같은 음량과 좋은 울림이 되도록 하고 화음 연습시 활을 잡는 둘째 손가락을 떼고 켜는 연습을 한다.

활을 쥐는 힘의 중심은 셋째 손가락과 넷째 손가락과 엄지손가락 등 3개에 골고루 있도록 한다.

엄지손가락 끝의 오른쪽과 엄지손가락과 마주 보는 위치에 있는 셋째 손가락과 넷째 손가락의 세 손가락이 활을 쥐는 힘의 중심이 되게 잡는 방법이 이상적이다.

이 위치에서 엄지손가락의 힘을 넣는 방법이 아름다운 음을 내는데 있어서 가장 중요하다.

언제나 활끝이 조금이라도 흔들거리지 않게 쥐고 연습한다. 활을 잘 잡아야 좋은 음을 낼 수 있다. 또 둘째 손가락으로 활을 눌러서 음을 내지 않도록 이따금 둘째 손가락을 떼고 연습한다.

SUZUKI

VIOLIN SCHOOL

PIANO PART

스즈키 바이올린 교본

3

세광음악출판사

SUZUKI VIOLIN SCHOOL

스즈키 바이올린 교본

VOL. *3*

PIANO PART

차   례

가 보 트

Gavotte

마르티니
(P. Martini)

미뉴에트
Minuet

바 흐
(J. S. Bach)

coll' 8 va........

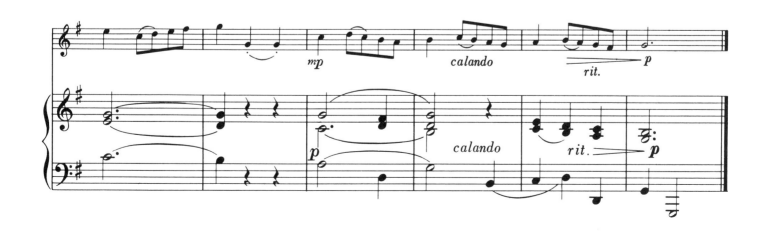

가보트 사 단조

Gavotte in g minor

바 흐
(J. S. Bach)

Allegretto

14

유모레스크
Humoresque

드보르자크
(A. Dvořák)

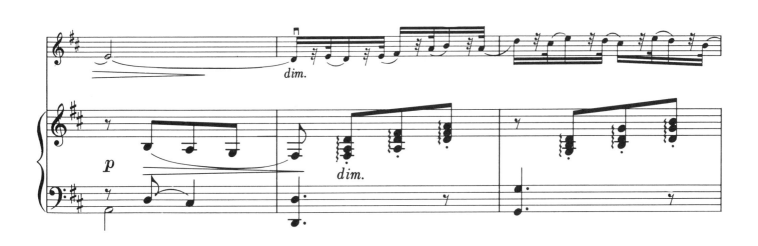

16

가 보 트
Gavotte

베 커
(J. Becker)

가보트 라 장조
Gavotte in D Major

Gavotte I

바 흐
(J. S. Bach)

24

Gavotte II

26

부 레
Bourrée

28

세광 바이올린, 첼로 교본·곡집

신나는 바이올린 교본 1~4
홍사현 편 / 국배판 / 각 80여 면

스즈키 바이올린 교본 1~10
국배판(1~8 각 CD 1매 포함) /
교본 각 20여 면, 반주보 각 40여 면

개정판 스즈키 바이올린 교본 1~4, 5~8(근간)
국배판(각 CD 1매 포함) /
교본 - 각 20~50여 면,
피아노보 - 각 30~40여 면

시노자키 바이올린 교본 1~6
국배판 / 교본 각 70여 면, 반주보 각 60여 면

개정판 시노자키 바이올린 교본 1~4
국배판/ 교본 각 80여 면, 반주보 각 80여 면

호만 1~4
국배판 / 각 40여 면

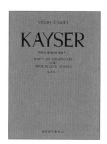

카이저 바이올린 연습곡 1~3
국배판 / 각 30여 면

흐리말리 바이올린 음계 교본
국배판 / 56면

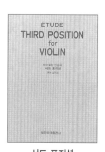

서드 포지션
국배판 / 48면

NEW 어린이 바이올린 지도곡집
홍사현 편 / 국배판 / 112면

한 권으로 끝내는 취미 바이올린
김동연 편저 / 국배판(스프링) / 120면

스즈키 첼로 교본 6~10
국배판 / 교본 각 30여 면, 반주보 각 30여 면

개정판 스즈키 첼로 교본 1~5, 6~8(근간)
국배판(각 CD 1매 포함) /
교본 - 각 20~30여 면,
피아노보 - 각 20~40여 면

새 바이올린 명곡집
조념 편 / 국배판 / 파트보 36면, 반주보 88면

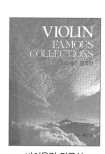

바이올린 명곡선
국배판 / 파트보 56면, 반주보 136면

Basics 바이올린 기본 주법 / Practice 바이올린 연습 비결
S. Fischer 저 / 김홍열 역 / 국배판 / 각 244~384면

바이올린, 영화음악을 만나다 / 바이올린, 이지 클래식을 즐기다
김동연 편저 / 국배판 / 각 92~96면(CD 2매 포함)

배문한의 친구가되는 바이올린 교본 1~4
배문한 저 / 국배판 / 각 70~80면 / 각 5,000원

베르너 첼로 교본
국배판 / 128면

스즈키 바이올린 교본 ③ Translation ⓒ 세광음악출판사　　　편집부 편

발 행 처　**세광음악출판사**　서울특별시 용산구 서계동 232-32　　・등록번호 제 3 - 108호(1953. 2. 12)
　　　　　내 용 문 의　Tel : 02)714-0048(대)　Fax : 02)719-2656
공 급 처　**(주)세 광 아 트**　Tel : 02)719-2651(대)　Fax : 02)719-2191

ISBN　978-89-03-41103-1 93670　　　＊원출판사와 독점 계약된 책이므로 무단 복제·복사할 수 없습니다.